ロボットカードを作(つく)ろう！

ロボットカード

名前(なまえ)　新谷(あらたに)カケ

このロボットの特(とく)ちょうは？

じどうで
せんたくものを
ほす!!

ロボットの絵(え)をかこう！

特(とく)にすごいところを説明(せつめい)をかこう！

ここがすごい!!

頭のぶぶんを
つうかするときに
せんたくものを
ロープにかけて、
せんたくばさみで
とめる。

ロボットの名前(なまえ)

ほしておきますよロボ

どんなロボットか説明(せつめい)をかこう！

せんたくものをほしてお日さまでかわかしたいのに
時間がない人のためのロボットです。あらいおわっ
たものをカゴに入れると、じどうでロープにかけて、
せんたくばさみでとめてくれます。人は、そのロー
プをものほしや部屋のすみにむすぶだけであっとい
う間にせんたくものがほしおわります。

使(つか)い方(かた)は
4ページを見(み)てね！

ここがすごい！ロボット図鑑（ずかん）

1 しごとをたすけるロボットたち

監修／お茶の水女子大学附属小学校　岡田博元

あかね書房

この本を読んでいるキミたちへ

わたしが子ども時代をすごした20世きのテレビアニメでは、ロボットたちが活やくしていました。人間とロボットがいっしょにくらす「鉄腕アトム」や「ドラえもん」の世界は、子どもたちのあこがれであり、まさにゆめの世界でした。

それからわずか三十数年、ゆめだったロボットたちがげん実世界に登場するようになりました。電線工事を行う「零式人機」や本物のイルカのように泳ぐ「デル」は、まるでテレビから飛び出してきたかのようです。

この本では、そういったロボットたちがどうして作られることになったのか、どんなところで、どのように活やくしているのか、わたしたちの生活をささえるロボットたちの今を集めてみました。また、ロボットに使われるぎじゅつをわかりやすく説明するページもつくりました。

「こんなの知らなかった！」「たしかにこれはあったらいいな」などと思うロボットは見つかるでしょうか。お気に入りのロボットを見つけたら、前のページにある「ロボットカード」を使って、おたがいにしょうかいしてみましょう。

ゆめのロボットが多くの人の希望と努力でげん実のものになったように、次の世の中やそのための新しいロボットをげん実にしていくのはみなさんのアイディアと努力です。「こんなロボットあったらいいな」を書いてみるのは、そのための初めの一歩になることでしょう。

では、ページをめくって新しい世界をのぞいてみてください。

お茶の水女子大学附属小学校
岡田博元

ROBOT01

もくじ

※ロボットのサイズは、非公開のものは記載していません。

キャラクターしょうかい

この本をナビゲートするキャラクターたちだよ。
よろしくね！

カケル
ちゃっかりやの小学2年生。

ロボまる
カケルとミライが作ったロボット
だが…？

ミライ
うっかりやの小学2年生。

見本 動画はこちら

QRコードの使い方

この本の一部のロボットに、実さいの動きを動画で見るためのQRコードがついているよ。動画を見るときは、スマートフォンやタブレットのカメラでそれぞれのQRコードを読みとってね。

※動画は予告なく公開を終了する場合があります。
※動画は本を買った人も借りた人も見ることができます。
※QRコードは株式会社デンソーウェーブの登録商標です。

ロボットカードの使い方

この本を開いてすぐのページに、ロボットカードがついているよ。
コピーをとって書きこんで、あなただけのロボット図鑑を作ろう！

お気に入りのロボットや、自分で考えたオリジナルロボットをかこう！

一言で言うとどんなロボットかを書いてみてね。

あなたの名前を書いてね。

ロボットの絵をかいてね。説明を書きくわえてもいいね！

特にすごいところを書こう。

ロボットの名前を書いてね。

どんなときに使う、どんなことをかい決するロボットなのかをくわしく書こう。

ロボットカード

このロボットの特ちょうは？
じどうでせんたくものをほす!!

名前 新谷カケル

ロボットの絵をかこう！
ロープ
せんたくもの
せんたくかご
タイヤ

特にすごいところを説明をかこう！
ここがすごい!!
頭のぶぶんをつうかするときにせんたくものをロープにかけて、せんたくばさみでとめる。

ロボットの名前
ほしておきますよロボ

どんなロボットか説明をかこう！
せんたくものをほしてお日さまでかわかしたいのに時間がない人のためのロボットです。あらいおわったものをカゴに入れると、じどうでロープにかけて、せんたくばさみでとめてくれます。人は、そのロープをものほしや部屋のすみにむすぶだけであっという間にせんたくものがほしおわります。

クラスのみんなでかいて「〇年〇組のロボット図鑑」を作っても楽しいね！

1章

あぶない作業を人に代わってするロボットたち

工事やさい害げん場などで、
働くロボットたちをしょうかいするよ。

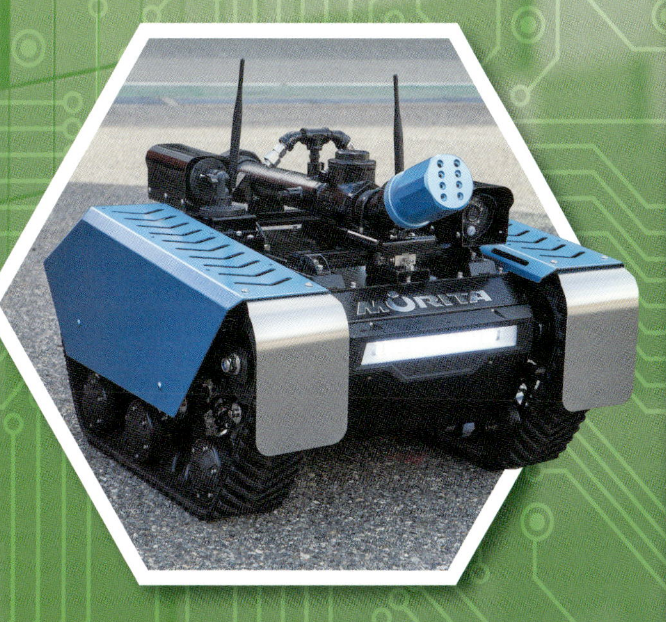

きけんなしごとはロボにおまかせ！

※有どく物しつ…ガスなど、人の体には害になるもののこと

人に代わり電線工事を行う！

DATA

- **大きさ** はば120cm×高さ約82cm×奥行97cm
- **重さ** 約450kg（大きさ・重さともに本体部のみ）
- **作った理由** 電線工事など、高い場所での作業はきけんなため、人の代わりになるロボットを開発したかったから。

カメラ

カメラを通したえいぞうは、そうじゅう者のVRゴーグルにうつる。

※VRゴーグル…立体えいぞうを見るための機械。くわしくは20ページを見てね。

ハンド

ものをはさんでもちあげる。チェンソーなどのアタッチメント（道具）を取り付けることもできる。

クレーン

せん用クレーン（あし）の先に取り付けられているから、高いところでの作業ができる。

動画はこちら

零式人機

ver. 2.0

作った会社：人機一体/JR西日本/日本信号

電線工事や重たい部品の取り付けなど、高い場所でのきけんなしごとを、人の代わりに行うロボットだよ。力のいる作業から細やかな作業までこなせるんだ。

人には大変な電線工事も、ロボットを使えば安全に！

電線工事は高い場所での作業というだけではなく、感電のきけんともとなりあわせ。でも、零式人機を使えば、人がついらくしたり感電するような事こもなく、安全に工事をすることができるよ。

※感電…体に電気が流れること。

写真提供／JR西日本

写真提供／JR西日本

◀真夜中に電車のか線（電線）工事をする人たちの様子。

ほかにもこんなしごとで活やくするよ！

トンネルの天井にきずがないかをチェック

重たい部品の取り付け

ハンドの先にチェンソーを取り付けて高い木のえだを切る

ここがすごい!!

自分の手足のようにロボットをそう作できる！

人機が重いものを持つと、そう作レバーが少し重くなるのでそうじゅうする人に「重い」と感覚で伝わるよ。そう作レバーの動かし方によって、ひもをちょうちょ結びにするようなていねいな動きも、人の何倍もの力を出す動きもできるんだ。

◀そうじゅう者は、専用のクレーン車のそうじゅう席でそう作するよ。

写真提供／JR西日本

細やかなそう作もOK！

ちょうちょ結びもできる♪

写真／森山和道

零式人機 Ver. 2.0 作った人に聞いてみた！

零式人機を作った、株式会社人機一体のロボットエンジニア野村方哉さんに、いろいろな話を聞いてみたよ！

どうして零式人機を作ろうと思ったのですか？

最初は「もてるぎじゅつをつかって一番大きいロボットを作ろう！」という気持ちでロボットを開発していました。そうしたら、「ロボットを電線工事に使いたい」という人があらわれたんです。そこで今度は「高いところで活やくできるよう、クレーンに乗る大きさのロボットを作ろう！」という話になりました。こうして作られたのが零式人機です。

零式人機Ver.1.1

Ver.2.0ということは、1.1や1.3など2.0より前のVer.のロボットもいるのですか？

いますよ。2.0より力が強いのですが、大きくて重いので、2.0では小さく軽くしました。ハンドの形もちがいます。それから、2.0はすべてのかんせつに、力かげんを感じるセンサーを入れたので、前のVer.よりもさらにそう作しやすくなっています。

▶自分の体を動かす感覚でそう作できるので、5〜10分練習すれば、すぐ動かせるようになるそう。

写真提供／JR西日本

せい作中、特にどんなところが大変でしたか？

ロボットを軽くするのが大変でした。全部金ぞくで作ると、重すぎてクレーン車につけられなくなってしまう。いろいろなやみましたが、樹脂という軽い材料でできた部品を金ぞくと組み合わせるぎじゅつや、ほね組みと上につけるカバーを一体化させるぎじゅつを使ったりして、Ver.1.0よりも約200kg軽くすることができました。

零式人機でエイリアンと戦うことはできますか？

戦とう用ロボットじゃないよ（笑）。でも、零式人機はすばやい動きがとく意です。パンチをくり出せば、なかなかのい力になるかも？

零式人機の登場で、未来の工事げん場はどう変わりますか？

零式人機では入れないようなせまい工事げん場などもあるので、零一式カレイドという、人と同じサイズのロボットを開発中です。２体がコンビを組めば、いろいろな工事げん場で活やくできるはず。未来のげん場は、きけんな作業はすべてロボットがやるのが当たり前になってほしい。そのころにはきっと、ロボパイロットというしょく業も出てくると思いますよ。

◀トンネル発破（※）をイメージしたデモンストレーションをする零式人機。

※**トンネル発破**…トンネルを作るために、土のかべをダイナマイトでばくはする作業のこと。

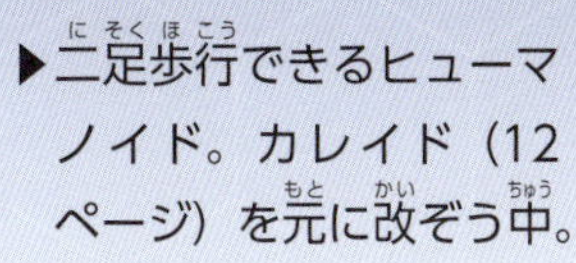

▶二足歩行できるヒューマノイド。カレイド（12ページ）を元に改ぞう中。

※**二足歩行**…2本のあしを使って歩くこと。

おでこの部分にあるカメラで、きゅう助が必要な人がいないか、足元に何かおちていないかなどをかくにんすることができる。

5本の指で、がっちりとものをつかむ。

大きさ	高さ183cm（身長）
重さ	86kg
作った理由	人とロボットがともに生きる社会を目ざして開発した。

動画はこちら

体のバランスをチェックするためのセンサー。ジャンプして着地したときなど、体のしせいが不安定になると、このセンサーがはたらいて、たおれないようにバランスをとる。

カレイド

作った会社：川崎重工

ものを持ち上げたり運んだりして、人といっしょに働くことができるロボット。２本の足を使って、人とほぼ同じ速さで歩くことができるよ。

ここがすごい!!

たおれてもこわれない!! 二足歩行のヒューマノイド

ロボットはあしのうらをしっかり地面につけたまま、ひざを曲げて歩くよ。だから人のようにスイスイ歩くのはむずかしいんだ。開発中は何度も転ぶことになるから、がんじょうさも大切なポイント。じょうぶな体で何度も転べたからこそ、人と同じ速さの歩きをマスターできたよ。

※二足歩行…2本のあしを使って歩くこと

人と同じ大きさだから、さい害きゅう助などの場面で活やくできる!

カレイドは大人の人と同じくらいの大きさだから、建物のドアなど、人向けのせつびがある場所でも活やくできるよ。さい害げん場もそのひとつ。建物の中に人が取り残されていないかかくにんしたり、しょう害物をどけたり、人といっしょに作業することができるんだ。

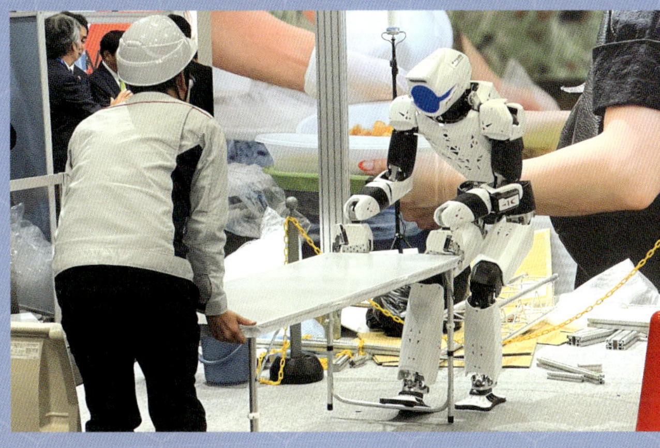

▶人といきをあわせて、折りたたみ式テーブルの高さを変えるカレイド。

カレイドの仲間!

フレンズは、カレイドが元になって生まれたロボット。カレイドよりも少し小さくてスリムな体と、やさしい顔だちをしているよ。お年より向けのしせつなどで、人といっしょに働くことを期待されているんだ。

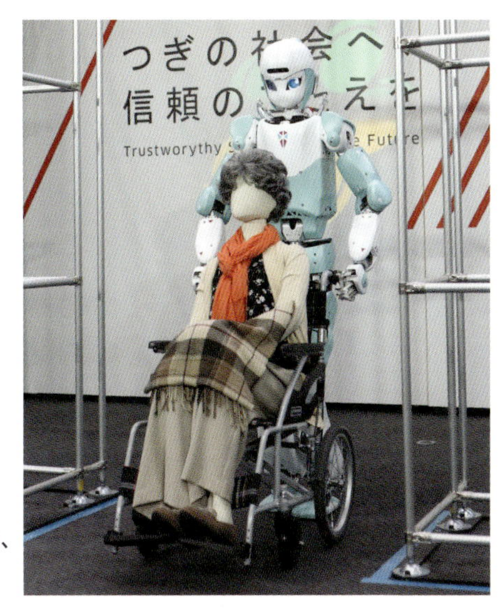

▶お年よりと会話をしながら、車いすをおすフレンズ。

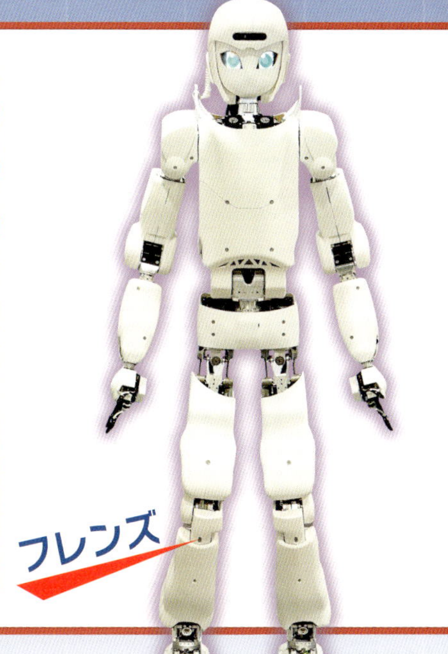

DATA

大きさ	高さ61cm×はば50cm×奥行110cm
重さ	約33kg
作った理由	足場が悪いところや人が行けないきけんなところでも作業できるロボットを作りたかった。

ペイロードポート

アタッチメント（道具）を取り付けるための場所。せ中に2か所ある。

あし

前や後ろにすすむだけでなく、横歩きもできる。

ちょうど
中がた犬くらいの
大きさだ！

動画はこちら

提供／東北エンタープライズ

Spot（スポット）

作った会社：ボストンダイナミクス

でこぼこした道や山などでも、安定して歩けるため、人にかわってきけんな場所で作業をすることができるよ。自動で動くことも、人がそう作することもできるんだ。

ここがすごい!!

四足歩行とアタッチメントでいろいろな仕事ができる！

Spotは生物模倣ぎじゅつという、実さいにいる生物のしくみをまねするぎじゅつで作られたロボットだよ。四足歩行なので、二足歩行のヒューマノイドよりも安定して歩くことができるんだ。また、ペイロードポートにカメラやアームをつけることで、いろいろな作業をすることができるよ。行う作業の例を見てみよう。

※四足歩行…4本の足を使って歩くこと。

建物の点けん

カメラ

◀階だんの上り下りもできるので、2階建て以上の建物でも点けんすることができる。

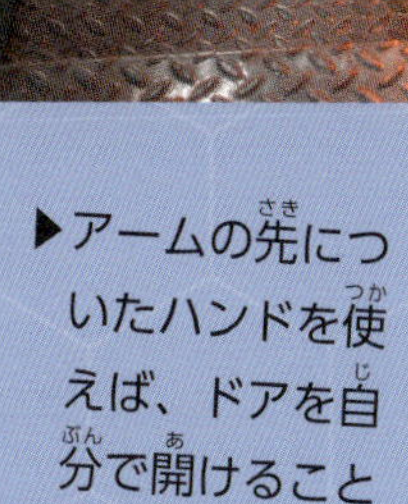

▶アームの先についたハンドを使えば、ドアを自分で開けることもできる。

不しん物のチェック

▲アームのハンドには小さなカメラがついている。駅で見つけた不しん物など、きけんなものは、Spotのカメラを使ってチェックすれば安全だ。

◀Spotより高い位置にあるものも、カメラでかくにんできる。

ほかにも、さい害現場ではたおれている人を見つけたり、センサーできけんなにおいをかくにんするのに活やくしているよ！

きけんな場所での作業

▶人が歩くにはきけんなほど足場が悪い場所での作業も、Spotにまかせれば安心だ。

DATA

大きさ 高さ46cm×はば59cm×奥行75cm

重さ 約70kg

作った理由 火事がおきている建物に入って消火するロボットを作りたかった。

ノズル

ここから水を出して火を消す。消火にこう果的な、８本の水が出る。

クローラ

ブルドーザーのようにベルトを回して走るので、足場が悪い場所でも力強く進める。

カメラ

カメラでとったえいぞうは、そうじゅう者へと送られる。

ここがすごい!!

もえる建物の中に入って、消火する！

▲消火訓練の様子。

倉庫の火事は、まどやドアなど入口が少ないので、消ぼう隊員が中に入って火に直せつ放水できないことが多いんだ。でも、ブルートレーサーなら、隊員に代わってもえる建物の中に入り、火に直せつ、大量の放水ができるよ。早く消火をすることにもつながるんだ。

ブルートレーサー

B1-N3

消ぼう隊員に代わって、きけんなげん場での消火作業を行うよ。ロボットのカメラを通したえいぞうを見ながら、安全な場所からそうさすることができるんだ。

作った会社：モリタホールディングス

DATA

- **大きさ** 直けい約10cm×長さ約180cm
- **重さ** 約6kg
- **作った理由** せまくて調べることがむずかしい空間を進むことができるロボットを作りたかった。

せまくてクネクネした下水道管の中を点けん！

生物模倣ぎじゅつから生まれたロボットだよ。ミミズと同じ動き方で、体をちぢめたりのばしたりしながら進むんだ。太さ10cmの管にも入れるので、細い下水道管の中がよごれでつまったり、ひびが入ったりしていないか点けんすることができるよ。

※生物模倣ぎじゅつ…実さいの生き物をまねてロボットをつくるぎじゅつのこと。

カメラ

管の中をうつして、管がこわれたりしていないか、かくにんできる。

前に進むときは、黒い部分が、前から順番にちぢんでのびる動きをして進む。

ブラシ

管の中を、ブラシでこすりながら通るので、ロボットが通ったあとは管がきれいになる。

ライト

カメラのまわりにライトがついているので、画ぞうが見やすくなる。

写真／中央大学 中村研究室

ミミズロボット

下水道管（地面の下にある、よごれた水を流す管）の点けんをするロボット。クネクネとふくざつに曲がったパイプの中でも、ミミズのように進んでいくよ。

作った会社：管清工業／中央大学

海の中で点けんをする！

DATA

作った理由 クリーンエネルギーを生む洋上風力発電しせつがもっとふえるよう、点けん用ロボットを作ってお手伝いしたい。

※洋上風力発電…海の上にふく風の力を使って電気を生むしくみ。

ここがすごい!! 海の中でていねいに作業を行う！

洋上風力発電しせつの多くは深い海に建っているので、海の中の点けんが必要なんだ。人が海にもぐって作業するのはきけんな上、そもそも人がもぐれないような深さでの作業も多いよ。

Honda ROVは、手先本体協調せいぎょぎじゅつを使っているよ。これは、人がものをつかもうとして手をのばすと自然に体が前にかたむくのと同じように、ロボットのアームと機体が運動しいっしょに動くようにしたんだ。このぎじゅつのおかげでそう作がしやすく、海中での細かい作業もかんたんに行えるんだ。

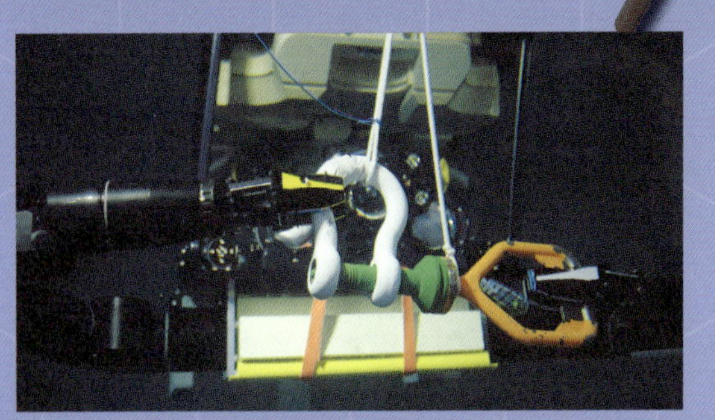

▲水の中で、しせつに使うとめ金の付け外しテストを行うHonda ROV。

カメラ

カメラを通したえいぞうはそうじゅう者に送られる。

アーム

手先本体協調せいぎょぎじゅつにより、アームを大きくのばすと、アームをのばした方向へ機体が自動で進む。発電しせつについたよごれをとる作業もできるよ。

動画はこちら

Honda ROV

コンセプトモデル

作った会社：本田技研工業

今、新しいエネルギーとして風力発電が注目されているよ。Honda ROVは人に代わって海にもぐり、洋上風力発電しせつの点けんを行うロボットなんだ。

全身のかんせつが回る！

ここがすごい!! 世界をおどろかせたロボットの新がた！

10年前、アトラスというロボットがたん生したよ。多くのヒューマノイドはゆっくり歩くのがせいいっぱいという中、走り、ちゅう返りをして、世界をおどろかせたんだ。

そんなアトラスが、2024年春に新しくなって登場。どんな活やくをしてくれるのか、楽しみだね。

▲軽やかにとびはねる旧アトラス

DATA

作った理由
運動のう力が高く、人の役に立つロボットを作りたかった。

首

頭を360度（1回転）回すことができる。

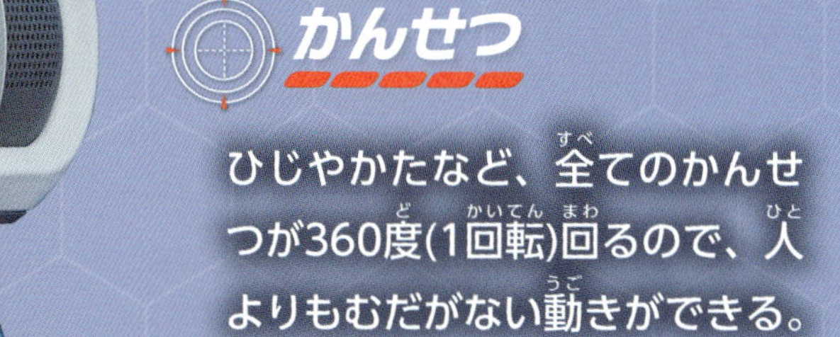

かんせつ

ひじやかたなど、全てのかんせつが360度(1回転)回るので、人よりもむだがない動きができる。

©Boston Dynamics

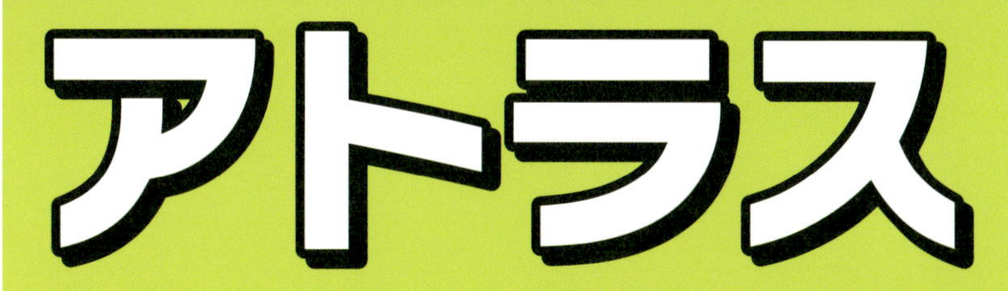

アトラス

作った会社：ボストンダイナミクス

体は前を向いたまま、頭だけを真後ろに向けるなど、人間にはできない動きができるヒューマノイド。自動車工場で人の代わりに実験的にはたらく予定だよ。

コラム　これもロボット？

ドローンってなあに？

ドローンはロボットのなかま。「これがドローン」という決まりはないけど、4〜8つのプロペラで空を飛ぶ、小がたで人がのれないものを指すことが多いよ。

プロペラ

時計回りをするものと、反時計回りをするものが、同じ数ずつついている。

センサー

しょう害物を見つけるセンサーや、GPSセンサーなどいくつものセンサーがついている。

※GPS…人工えい星からの位置じょうほう。くわしくは26・27ページを見てね。

カメラ

はなれた場所からでもきれいにさつえいできるズーム機のうや、とりたいものを自動で追いかける機のうなどがついている。

※機体によって、つくりがちがう場合があります。

そうじゅう

コントローラーを使って人がそうじゅうするものと、AIで自動運転をするものがある。コントローラーでそうじゅうする場合は、電波（電気エネルギーの波）を使って、ドローンに命令を出す。

※AI…人口知能のこと。くわしくは34・46ページを見てね。

エネルギー

電気をじゅう電して使うものが多い。電気でプロペラを回転させると、ようカという、うかび上がる力が発生するので、その力を使って飛ぶ。

人がそうじゅうして飛ばす場合

目で見てそうじゅうする

き本的なそうじゅう法。まわりを見ながらそうじゅうすることで、ついらくやしょうとつのきけんに早く気付けるため、より安全に飛ばすことができる。ただし、目で追いきれなくなるほど遠くまでドローンを飛ばすことはできない。

VRゴーグルを使う

VRゴーグルとは立体えいぞうを見る機械のこと。ドローンのカメラを通したえいぞうをゴーグルで見ながらそうじゅうするので、まるで空を飛んでいるような感覚を味わえる。目では見えないほど遠くまでドローンを飛ばすこともできる。

自動運転で飛ばす場合

飛行ルートだけ入力すれば、あとはGPSとAIを使って自りつ飛行（自動運転）で飛ぶ。人が行くにはきけんなさい害げん場の点けんや、きゅうえん物しの配達などで活やくしている。

ドローンは　さつえいや、点けんでも　よく使われるん　だって！

これからのドローン！

未来はこんな使い道も！　ドローンのこれからを見てみよう。

空

ドローンの自動配達で、ゆう便や宅配便をとどけるテストが始まった。じゅうたいもなくスイスイ運べるので、今までより早くとどけられるかもしれない。

海

水中ドローンを使った養殖（食用の魚などを育てるしごと）のテストが始まった。魚の観察やエサやりなどの作業を、人の代わりにドローンがやってくれるので楽になる。

うちゅう

インジェニュイティ（41ページ）の活やくをきっかけに、ドローンで火星を調べる取り組みが本かく的にスタート。火星のなぞを早くとき明かすことにもつながりそうだ。

2章

運ぶ！　作る！　人を手伝うロボットたち

町中やお店、病院や工場などで、働くロボットたちをしょうかいするよ。

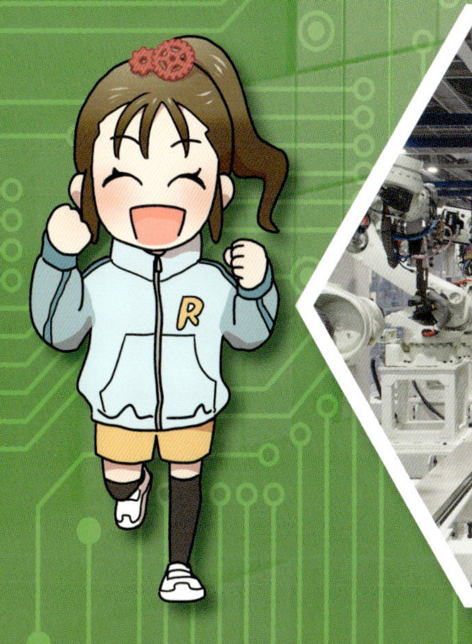

手伝って！　ロボット

おはよう！
宿題やった？
あっ
しまった…
家のつくえの上に置きっぱなしだ
あ〜…

だれか空からとどけてくれないかな
ムリムリ
ブブ…
ん？
えー!?
宿題のノートだ！
ブブブ…
アハハ
びっくりしたー？
とどけにきたよー
ロボまる！

たすかった〜！
ありがとう!!
ドローンを使ったのか
うん！
いろいろなものを運べるんだよ！

ものを運ぶしごとはとても大変！
だから、つかれ知らずのロボットにやってもらうと楽だよね
配達
倉庫の整理

ほかにもあるよ
たとえば農業も
体力がいる
しごとだから
ロボットが
お手伝い
することが多い
ドドド
たすかる!!
スマート農業
って
いうんだよ

いろいろな
ところで
活やくして
いるんだね
レストランの
キッチン
調理
食器あらい
工場
イラッシャイマセ!
最近はコンビニでも
ロボットの
店員さんが
いたりするよね
あぶないしごと
だけじゃなく、
大変なしごとも
手伝ってるのね
そのとおり!

じゃあボクは
このへんで
またね～
ありがと～
ス…
さて…
パラ…

バーン
まっしろ～
さすがに
宿題の中身は
やってくれて
ないか～
そりゃ
そうだよ!
ひ～
まだ
終わって
なかったん
だね…

人に代わりものをとどける！

DATA

大きさ	高さ約109cm×はば約66cm×奥行約96cm
重さ	120kg
作った理由	スマートフォンでお買いものをして、おうちに荷物をとどけてほしい人がふえるから。

しょう害物感知センサー

3つのしょう害物センサーを使い、人やものを感じたら、自分でよける。

カメラ

全身に合計6このカメラがあり、前後左右を見ることができる。

目

目が動く。曲がるときに曲がる方を見て、周りに知らせている。

動画はこちら

DeliRo（デリロ）

デリロは自動運転で歩道を走ることができるロボットだよ。エレベーターにも自分で乗れるから、人の代わりにものをとどけることができるんだ。

作った会社：ZMP

おうちにいてお買いものができちゃう

家の中からスマートフォンのアプリをつかって、お弁当や飲みものを注文すると、デリロがお店に行って荷物を受けとるんだ。そして、わたしたちの家まで歩道を走って、荷物をとどけてくれるよ。

ここがすごい!! 道路も建物の中も自動で走れる！

GPSを使った自動運転だと、建物の中は電波がとどかず止まることも。でも、デリロはGPSを使わず、マップ（地図）を覚えて走るので、建物の中も安定して走れるよ。

※GPS…人工えい星を使った位置情報。
くわしくはつぎのページを見てね。

交通ルールを守る！

◀信号の色を見わけて、赤信号なら自分で止まるよ。

エレベーターを呼べる！

▲自分で通信してエレベーターを呼んで、乗ることができるよ。

人通りの多い道もへっちゃら♪

▶人の顔がわかるからあいさつするよ。近くに人がいたらよけて通るよ。

デリロの仲間たち！

デリロには仲間がいるんだ。人を運ぶ「ラクロ」とパトロールする「パトロ」だよ。どちらも自動運転だから自分で動くんだ。そして目も動くし声も出るよ。

DATA

大きさ	高さ273cm×はば約287cm×奥行341cm
重さ	900kg
作った理由	農業をする人がへって、農家はいつも人手不足。とくに米農家の人手不足をかい決したい。

田植えとは、お米のなえを田んぼに植える作業のことだよ。

人工えい星からの位置じょうほう（GPS）をキャッチする。

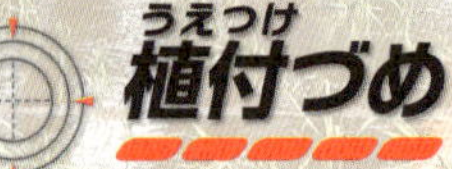

お米のなえをまっすぐきれいに、速く植えることができる。

動画はこちら

アグリロボ 田植え機

NW8SA

作った会社：クボタ

人が運転しなくても、自動で田植えをするよ。田んぼの広さをもとにむだのない植え方をロボットが考え、自動運転できれいに植えるんだ。

ここがすごい!!

GPSを使って自動で田植え！

GPSは、人工えい星から発する電波をキャッチすることで、今いる位置がわかるしくみだよ。車のカーナビゲーションシステムでも使われているしくみで、アグリロボはこれを使って自動運転をしているんだ。作業する田んぼについたアグリロボは、まず田んぼを一周走るよ。走ったときのGPSじょうほうから、作業用のマップ（地図）を作るんだ。マップで田んぼの形や大きさを覚えたら、ここになえを何列植えたらいいかを計算。そして、マップにそって田んぼを走り、通ったところにお米のなえを植えるよ。すべてが計算されているから、むだがない田植えができるんだ。

今までの田植え機は人がのってそうじゅうをしていたよ。だけど今は、米農家の人数もへっているから、一人でよりたくさんの田んぼで作業しないといけないんだ。今までのように一人一台をそうじゅうするだけでは、手が回らなくなってしまうよ。

アグリロボ田植え機を使えば、これまで田植え機に乗っていた人が、アグリロボの様子を見ながらほかの作業ができるようになるから、今までよりも少ない人数で田植えができるよ。

▶人が乗るタイプの田植え機で、田植えをするようす。

アグリロボの仲間たち！

アグリロボのシリーズには、田植え機以外にもいろいろな農作業を自動で行うものがあるよ。

土をたがやす！

アグリロボトラクター MR1000AH

自動で畑をたがやすよ。ほかにも、田植えをする前に田んぼに水を入れてかきまぜる代かきや、ひりょうをまく作業も自動でできるよ。

自動で作物をかりとる

アグリロボコンバイン DRH1200A-A

米や麦などの作物を自動でしゅうかくするよ。手早くかりとって、だっこく（わらなどをはずして実を取り出すこと）もするんだ。

おすしを速くたくさん作る！

DATA

大きさ	はば約84cm×高さ約81cm×奥行約56cm
重さ	約80kg
作った理由	おすしやさんが人手不足で、お皿にきれいにのったおすしを速くたくさん作ることがむずかしかったため。

ここがすごい!! **2かんのシャリ玉を作ってお皿にならべるまで、わずか2.5秒!!**

ロボットがつくったシャリ玉（おすしのごはんの部分）に、ネタをのせるだけですぐ、おすしが完成！

ほかに、ぐんかんまきを作れるロボットもいるんだって。

すしロボット

シャリ玉はかためず、ふんわりとおいしくにぎる。

もりつけロボット

すしロボットが作ったシャリ玉を、動くベルトの上のお皿の真ん中に、きれいにならべる。

シャリ玉皿盛付機

SDU-JRA

作った会社：鈴茂器工

すしロボットがシャリ玉を作って、もりつけロボットがお皿にならべてくれるよ。一皿に2かん・3かんなど、いろいろなならべ方ができるんだ。

自動でイチゴをつむ！

DATA

大きさ	はば64cm×高さ約144cm×奥行86cm
重さ	60kg
作った理由	イチゴをていねいにつむのはとても大変なので農家さんの負たんをへらすために開発しました。

食べごろのイチゴをＡＩがはんだん！

イチゴをつむアームには、３Ｄカメラがついているよ。カメラにうつるイチゴの色をもとに、ＡＩが食べごろかどうかをはんだんするんだ。

※ＡＩ…人口知能のこと。くわしくは34・46ページをみてね。

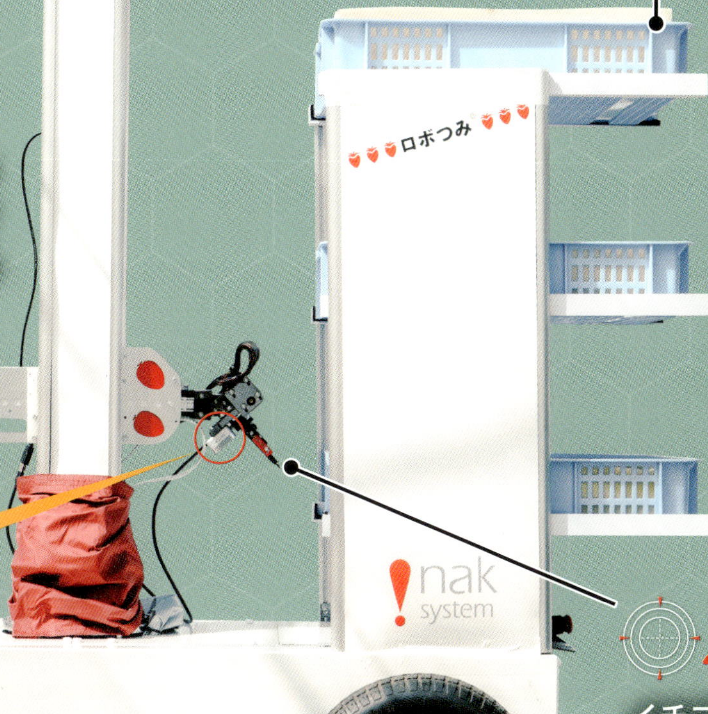

しゅうのうトレー

つんだイチゴを大きさごとにわけてくれるよ。

アーム

イチゴの実にきずをつけずにつむことができる。

アームの下に３Ｄカメラが！

▲アームとイチゴのきょりや、イチゴの大きさも、カメラとＡＩではんだんするよ。

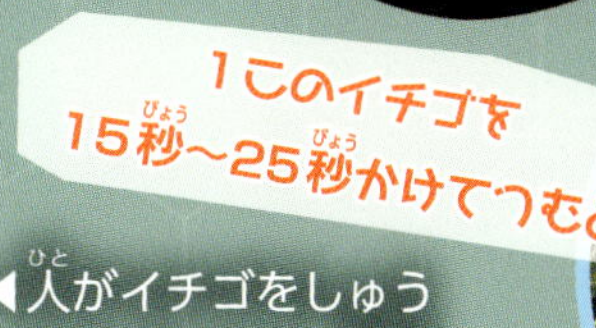

◀人がイチゴをしゅうかくするとき、一日中同じしせいをとりつづけるため、とても大変なんだ。

◀動画はこちら

食べごろのイチゴだけをえらんで、自動でつむロボットだよ。１つのイチゴをつみ終わっても、次のイチゴを探して、しゅうかくを続けるんだ。

作った会社：アイナックシステム

せんさいな手じゅつをする！

DATA

作った理由 かん者さんにとってもお医者さんにとっても、手じゅつのふたんを少なくするロボットを作りたかった。

サージョンコックピット

お医者さんが、オペレーションユニットをそう作するためのそうじゅう席。長時間の手じゅつでも、疲れにくいようにせっ計されている。

オペレーションユニット

かん者さんに手じゅつをするロボット。

オペレーションアーム

全部で4本のアームがついている。１本はカメラで、残りの３本は電気メスなどの手じゅつ器具をつけることができる。

しょう来は、かん者さんがいる病院のオペレーションユニットを、別の病院のコックピットからお医者さんがそう作して、手じゅつできるようになるかもしれないんだって！

hinotori（ヒノトリ）

作った会社：メディカロイド

お医者さんのそう作で手じゅつをするよ。８つのかんせつをもつアームは細かな動きができるので、せんさいな手じゅつが行えるんだ。

ここがすごい!!

かん者さんもお医者さんもふたんが少ない！

hinotoriはかん者さんのおなかに1cmくらいの小さなあなをあけ、そこからカメラや器具を体内に入れて手じゅつをするよ。この方法を使うと、おなかを大きく切るより、かん者さんの体のふたんが少ないんだ。人の手ではむずかしい手じゅつだけど、hinotoriならかん者さんの体内に入ったような感覚で細かいそう作ができるよ。これなら、かん者さんだけじゃなく、お医者さんのふたんも少なくなるね。

お医者さんに聞いてみた！

実さいにhinotoriを使っている、国際医療福祉大学三田病院の上田 和先生にhinotoriの使い勝手を聞いてみたよ！

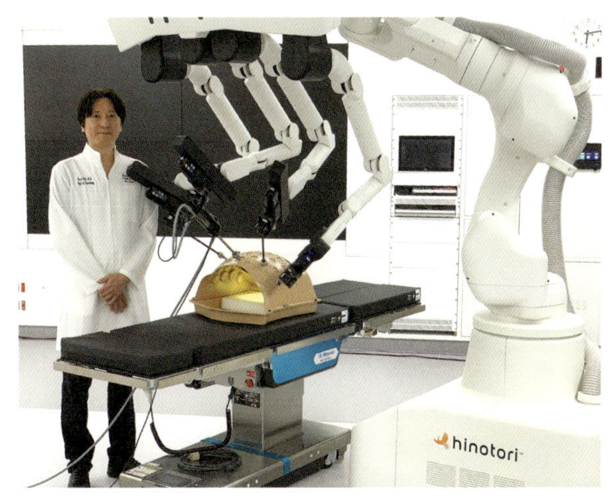

hinotoriを使った感想を教えてください！

オペレーションアームが自分の手のように動くので、とても使いやすくておどろきました。アームの先についたカメラを通して体の深い部分をかんたんに見ることができますし、大きくて重い腫瘍（体の中にできるこぶ）もロボットならかんたんに動かせます。さらに、いすにすわってロボットをそう作できるので、手じゅつが楽になりました。

かん者さんからのhinotoriのひょうばんはどうですか？

おなかを切る手じゅつより、きずが小さくていたみも少ないので、かん者さんにもよろこばれています。きずが小さい分、体の回ふくも早くなるので、早く家に帰ることができて、早く体を動かせるようになることも、hinotoriを使った手じゅつのよいところだと思います。

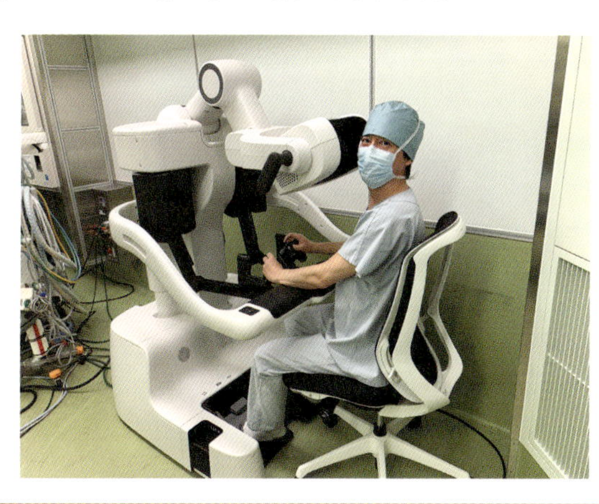

工場で働くロボットたち！

工場では、さまざまなロボットたちが人に代わって働いているよ。その一部を見てみよう！

新かん線に色をぬる！
とそうロボット

KF264　作った会社：川崎重工

▶人よりも速くきれいにぬることができるよ。

新かん線用のとそう（色ぬり）ロボットだよ。スプレーでと料（ペンキ）をふきつけ、色をぬるよ。

工場の中でものを運ぶ！
自走式ロボット

TRando-7　作った会社：川崎重工

工場の中では作業の内ようごとにそれぞれちがう場所でしごとをしているので、ものをとどける役が必要なんだ。このロボットはせまい工場でも、人をよけながら自動運転でものをとどけることができるよ。

自動車の部品をくっつける！

ようせつロボット

BXシリーズ　作った会社：川崎重工

▶アームの先にようせつ用の機械をつけてようせつしている（○）。

熱や力を使って物をつなげる（ようせつする）ロボットだよ。車を作るときに活やくしているんだ。

おべんとうのフタをしめる！

フタしめロボット

duAro1　作った会社：川崎重工

コンビニエンスストアなどで売っているおべんとうの、とう明のフタをしめるよ。人よりも速く正確に作業できるんだ。

▲パチンと音がするところまでおして、きちんとしめる。

コラム　これもロボット？

AIってなあに？①

AI（人工知能）とは、まるで考えながら作業しているように見える、たくさんのコンピュータープログラムの集まりのこと。ロボットの頭のうにあたるよ。

AIがとく意なこと・苦手なこと

AIは画ぞうを見わけたり、音声を聞き取ったり、大量のデータ整理をしたり、それを元にはんだんしたりするのがとく意。ルールを覚えるのもとく意で、チェスなどのゲームをしても強いよ。

ぎゃくに、苦手なことはあいまいなものや、データがないものに答えること。一から新しいものを作ることはできないし、遠回しに伝えようとしている言葉は理かいできないんだ。

▲人がやるには大変な作業だが、AIなら高速でしょ理できる。

家の中のAIをさがしてみよう！

わたしたちのくらしの中には、AIが入ったものがたくさんあるよ。あなたの家でもさがしてみてね。

すい飯器

お米の種類によってたきわける。

照明

周りの明るさや時間にあわせ、自動で明るさを調整する。

エアコン

部屋にいる人にあわせて温度調整をする。

せんたく機

せんたく物の量やよごれにあわせて、せんざいとせんたく方法を決める。

給湯器

お湯はりや追いだきを自動で行う。

ゲーム

プレイヤーの動きにあわせ、ゲームのキャラクターがちがう動きをする。

冷ぞう庫

中の食材をチェックしてお知らせをする。

スマートフォン

話しかけられた言葉を理かいし、アプリを立ち上げたりする。

そうじ機

自動で部屋をそうじする。

AIが使う人の行動や好みを学習して、最適な設定をしてくれるんだって。

AIって、とっても便利だね！

3章 未来を感じるロボットたち

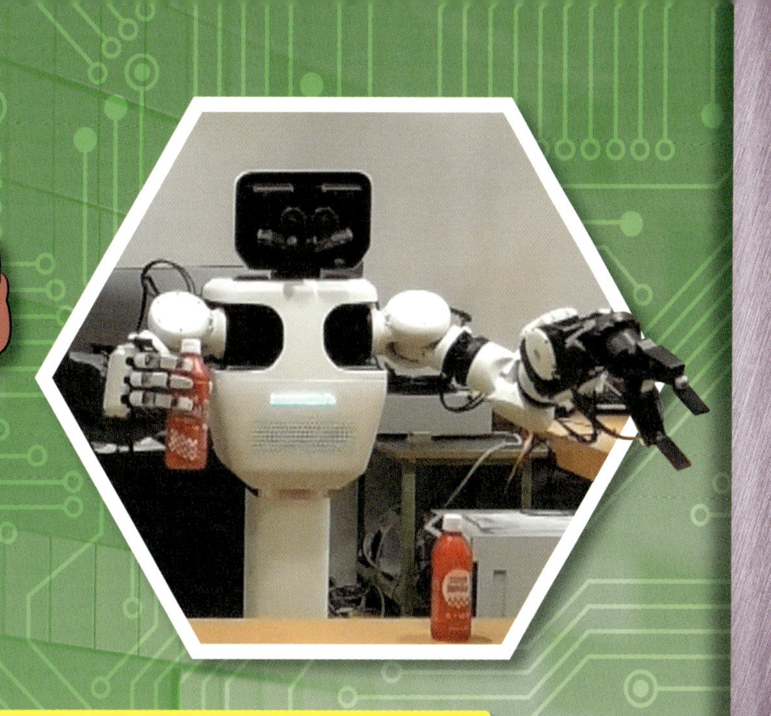

まるでアニメに出てくるような、
ゆめのあるロボットたちをしょうかいするよ。

未来をちょっと見てみよう！

あれはなに？
レンタルアバターロボ
1時間10
パッ
ウィ〜ン
動いた！
HELLO！
ロボットを使って旅行に来ました！
えぇっ
旅行!?

ボクは今アメリカの家にいます！
家でそう作しながら自由に観光できるのです
ほえ〜
そんなこともできるようになるんだね
じつは…

このみがわりをするロボット
キミたちの時代にすでに開発されているものなんだ
そうなの!?
未来はもう始まってる…ってことなんだな！
観光にいってきまーす
いってらっしゃい！

DATA

作った理由 時間やきょりに関係なく、どこでもすぐに行って、その人がしたいことをできるようにしたいと思い、開発した。

カメラ

カメラがついていて、うつしたえいぞうは、そうじゅう者のVRゴーグルで見ることができる。

※VRゴーグル…立体えいぞうを見るための機械。くわしくは20ページを見てね。

うで

重たいものをかた手で持ち上げることができる。

多指ハンド

4本の指がついていて、ペットボトルやカンのプルタブをあけるといったこまかい動きもできる。

Hondaアバターロボット

自分の分身になるロボット。自分の家にいながら、遠くにあるロボットをそう作して、本当にそこへ行ったかのような体験ができるよ。

作った会社：本田技研工業

どうやってアバターロボットを動かすの？

ロボットを動かすときは、せん用のグローブを使うよ。ロボットから送られるえいぞうをＶＲゴーグルで見ながら、グローブをつけた手を動かすと、ロボットがそうじゅう者と同じ動きをするんだ。また、えいぞうだけだとさわった感覚がないぶん、そう作がむずかしいので、ＡＩサポート遠かくそうじゅうぎじゅつというものを使い、スムーズで正かくなそうさができるようにしているよ。

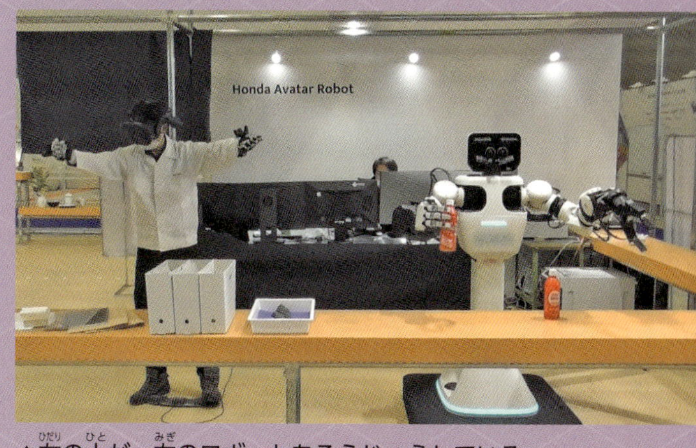

▲左の人が、右のロボットをそうじゅうしている。

使う人しだいでいろいろなことができる！

Hondaアバターロボットを使うと、どんなことができるのかな？　使い方の例をみてみよう！

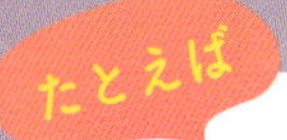

お父さんが使うと…

会社にあるロボットを、家からそう作してしごとができるよ。これなら家族との時間もふえそうだね。

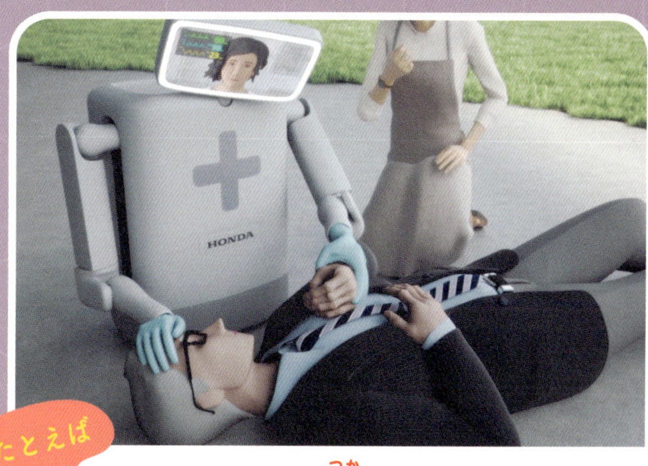

たとえば

おいしゃさんが使うと…

遠くはなれたところにいるかんじゃさんでも、かんじゃさんの近くにあるHondaアバターロボットを使ってかけつけて、しんさつすることができるよ。より多くの命がすくえそうだね。

たとえば

わたしたちが使うと…

学校のじゅ業で、月においてある宇宙用Hondaアバターロボットをそう作。教室の中にいながら月の石をひろって観察するなど、新しい校外学習が体験できるようになるよ。

ほかにもおもしろい使い方ができそう！

※このページの画像はイメージです。

本物のイルカにそっくり！

ここがすごい!!

水族館でショーもできる！

泳ぎの動作やひれの動かし方、人が近づいてきたときの行動など、まるで本物のイルカのようなリアルな動きをするよ。水族館でのショーや、人といっしょに泳ぐイベントなど、人とふれあう場面での活やくが期待されているんだ。

▲アメリカの海洋公園ではデルと遊ぶイベントもひらかれた。

DATA

作った理由

本物のイルカに代わって、水族館やテーマパークで人とふれあうロボットを作りたかった。

外見

イルカにそっくりで、本物と見わけがつかない。

デル

イルカそっくりなロボット。野生のイルカがつかまえられて、水族館などでかわれているのはかわいそうだと考えた人たちによって開発されたよ。

作った会社：エッジイノベーション

火星に生命がいたかを調べる

DATA

大きさ	高さ220cm×はば270cm×奥行300cm
重さ	1025kg
作った理由	火星に生命がいたのか、または今も生命がいるのかを調べたいため。

[QRコード] 動画はこちら

ここがすごい!! **人の代わりに火星を調べる！**

人が火星に行こうとすると、行き帰りで約400〜1000日かかると言われているよ。人はまだ、そこまで長期間のうちゅう旅行をしたことがないので、まずは人の代わりにロボットが火星に行ったんだ。パーサビアランスが無事にんむに成功したら、次はいよいよ人が火星に向かう予定だよ。

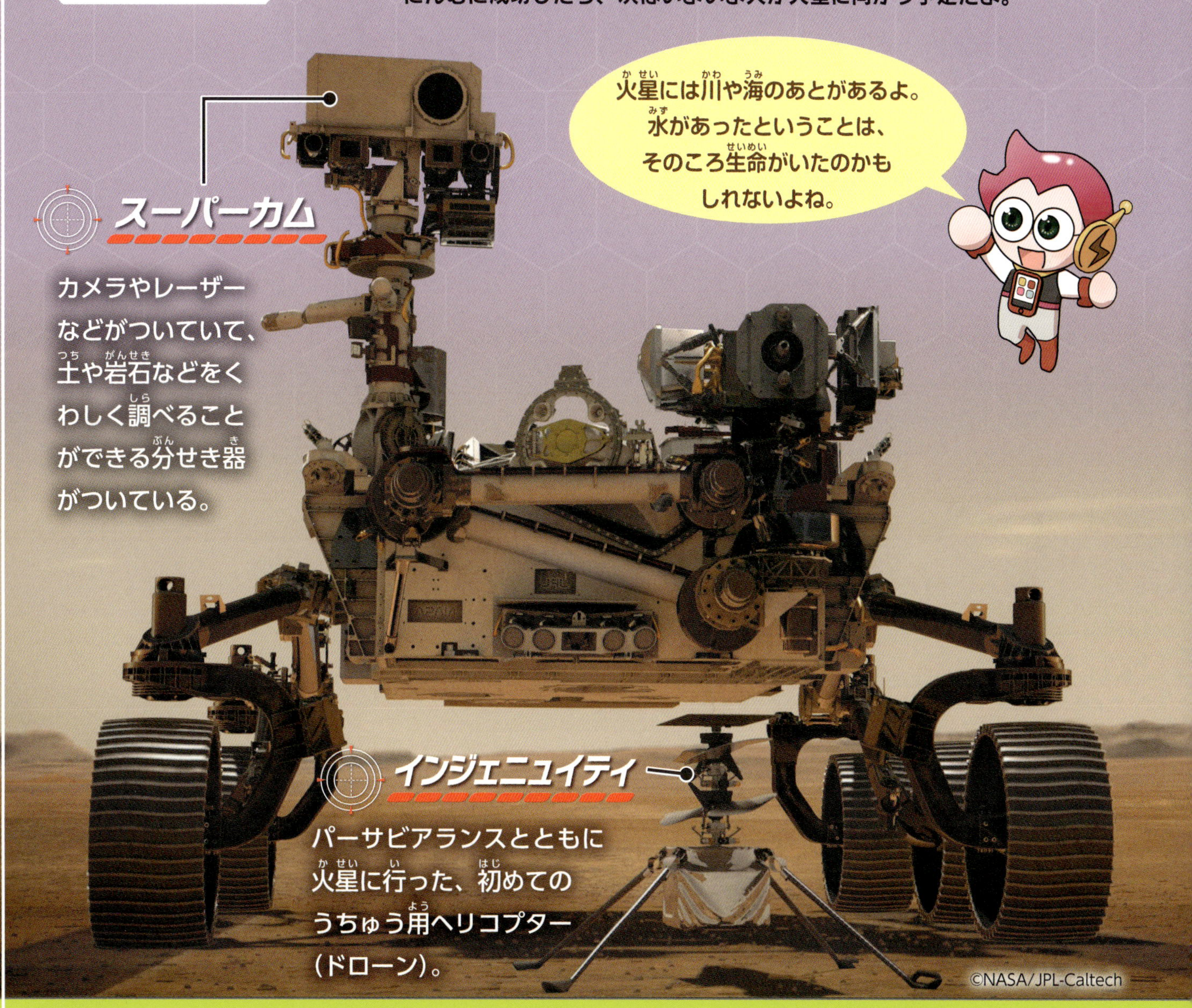

パーサビアランス

作った組織：NASA

無人で火星に行き、生命がいたかどうかを調べるロボット。火星の岩石をとって分せき器で調べてから、地球へおくるにんむにちょう戦中。

DATA

大きさ はば125cm×高さ100cm×奥行160cm

重さ 600kg

作った理由 太陽をまわる小さな星（小惑星）を調べて、太陽や地球がどのようにして生まれたのかを知りたい。

太陽電池パネル

太陽の光を電気エネルギーに変えることができる。

イオンエンジン

か速用のエンジン。地球上では１円玉を動かすくらいの力しかないが、重力のないうちゅう空間では、はやぶさ２をか速させるほどの力になる。

はやぶさ２の前には、はやぶさというロボットが活躍していたよ。月より遠いイトカワという小惑星を調べていたんだ。

動画はこちら

©JAXA

光学こう法カメラ

このカメラで目標の星をさつえいすると、その星までのきょりや方向がわかる。

サンプラホーン

調べたい星から、石やすなをとるためのそうち。

はやぶさ2

作った組織：JAXA

小惑星（太陽のまわりをまわる小さな星）を調べるロボット。小惑星・リュウグウのすなや石をとって、地球にとどけるミッションをしたよ。

◀リュウグウとはやぶさ2

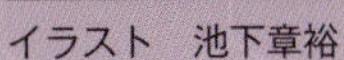

イラスト　池下章裕

ここがすごい!! ロボットで地球たん生のなぞにせまる！

小惑星には、太陽や地球が生まれた46億年前のじょうほうがそのまま残っているといわれているよ。だから、はやぶさ2は何年もかけて小惑星へ行って、地球たん生のなぞをとき明かそうとしているんだ。

リュウグウでのにんむを成功させたので、はやぶさ2は新しいにんむに向けて出発したよ。次は2026年に小惑星2001 CC21を、2031年には小惑星1998 KY26を調べる予定なんだ。

▶リュウグウで石やすなをとるはやぶさ2

イラスト　池下章裕

すごいぞ！ 日本のぎじゅつ

うちゅうを調べるロボットはほかにもいるよ。最近では日本のロボットSLIMが、2024年1月に月へおり立ったんだ。このSLIMといっしょに月に行った小がたロボットがSORA-Q。日本で初めて月のようすをさつえいしたロボットだよ。

SORA-Qはボールのような形をしていて、地面に投げ出されると、パカッと開いてロボットに変身。パーツを回転させながら進んで、写真をとるよ。

ロボットをより小さく、軽く、じょうぶにするため、このロボットの開発にはおもちゃメーカーのぎじゅつも使われたんだ。おもちゃから生まれたぎじゅつが本物のロボットになって月に行くなんて、ゆめがあるよね。

▶SORA-Qがさつえいした月とSLIM。

DATA

大きさ	ロボットモード	高さ450cm×はば310cm×奥行440cm
	ビークルモード	高さ390cm×はば310cm×奥行590cm
重さ	3500kg	
作った理由	アニメに出てくるような、人が乗れる大がたのロボットが活やくする世界をげん実にしたいため。	

カメラ

全９台のカメラがついているため、前・横・後ろ全てを見ることができる。

うで

かたやわき、ひじが動くので、自由にポーズをとることができる。

ボディの色

下の例のように、買った人が自由に色を決められる。

動画はこちら

アーカックス

作った会社：ツバメインダストリ

アニメに出てくるような大がたロボットをイメージした、人が乗ってそうじゅうを楽しむためのロボットだよ。車からロボットへ、ロボットから車へ変身することができるんだ。

ここがすごい!!

車とロボット、2つのモード！

ロボットモード中にモードチェンジをすると両足を前に出しながらうでをたたみ、機体を低くしてビークル（車）に変身するよ。

▲ビークル時は時速10kmで走る。ロボット時の5倍の速さだよ。

コックピット大公開!!

下の写真はコックピット（そうじゅう席）の内部だよ。安全にそうじゅうできるよう、前方や左右を同時に確にんできる3つのモニター（画面）がならんでいるんだ。

▲前面の黄色いハッチを開き、中に乗りこむ。

▲そうじゅう中の様子。

AIってなあに？②

すでにキミたちのくらしになじんだAI。最近は文章や絵をかくAIもあるんだよ。AIについて、もう少しくわしく見ていこう。

AIを使うとどんなことができるの？

AIにはいろいろなものがあるよ。AIができることの例を見てみよう。

絵をかく

「こんなタッチでこんな絵をかいて」などじょうけんを入力すると、自動で絵をかく。同じように写真を作ることもできる。

文章を書く

よく使われる文章のデータを元に文章を書く。人と協力して小説を書くことも。外国語へのほんやくもできる。

プログラムを書く

曲を作る

相談にのる

か去のデータを元に、一番良いと思われる答えを出す。

これからのAI！

未来はこんな使い道も！　AIのこれからを見てみよう。

医りょう

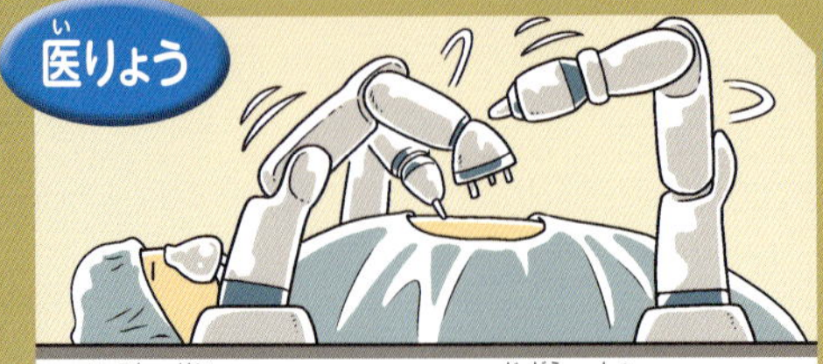

AIの入ったロボットが、自動で手じゅつを行い、成功させた。お医者さんがやらなくても、ロボットだけで手じゅつができるようになるかもしれない。

れきし

AIを使ってクローンを作り、ぜつめつした動物をよみがえらせる取り組みが行われている。成功すれば、生きているマンモスなどをこの目で見られるかもしれない。

うちゅう

うちゅうで何が起きているのか、AIを使って計算し、予そくして考えられるように。今まで560時間かかった計算が、AIを使って30分ほどでできるようになったそう。

さく引

監修 ● **岡田博元**（おかだ ひろもと）

お茶の水女子大学附属小学校教諭。お茶の水女子大学非常勤講師。文教大学教育学部初等教育課程、埼玉大学大学院教育学研究科を修了。専門は国語科教育学、教育方法学、臨床教育学。小学校国語教科書（光村図書）編集委員。

●まんが・イラスト
ふじわらのりこ

●取材協力
株式会社人機一体
国際医療福祉大学三田病院（副院長・ロボット手術センター長・婦人科部長　上田 和）

●写真・画像協力
アイナックシステム　アフロ　川崎重工　管清工業
クボタ　国際医療福祉大学三田病院　JR西日本　JAXA
人機一体　鈴茂器工　ZMP　中央大学 中村研究室
ツバメインダストリ　東北エンタープライズ　NASA
ボストンダイナミクス　本田技研工業　メディカロイド
モリタホールディングス　森山和道

●編集協力
小山由香

●デザイン・DTP
岩上仁子

●参考文献

『宇宙開発未来カレンダー　2022-2030's』G.B.
『こども宇宙科学』新星出版社
『子供の科学サイエンスブックスNEXT　歴史からしくみ、人工知能との関係までよくわかる　未来につながる！ロボットの技術』 誠文堂新光社
『子供の科学★ミライサイエンス　新型ロケット、月面基地建設、火星移住計画まで　宇宙探査ってどこまで進んでいる?』 誠文堂新光社
『10歳からの図解でわかるAI　知っておきたい人工知能のしくみと役割』 メイツ出版
『親子で一緒に学べる最新AI超図解　ChatGPTで質問する力を身につける』 ジーウォーク
『ドローン大解剖!①　ドローンを知る まるごと大図鑑』 教育画劇
『ドローン大解剖!②　ドローンを使う しくみとルール』 教育画劇
『未来が広がる最新ロボット技術　①作り、育てる技術』 汐文社
『未来が広がる最新ロボット技術　②守り、支える技術』 汐文社

ここがすごい！ ロボット図鑑
①しごとをたすけるロボットたち

2024年9月初版　2025年7月第2刷

監　修　岡田 博元
発行者　岡本 光晴
発行所　株式会社 あかね書房
〒101-0065　東京都千代田区西神田3−2−1
☎03-3263-0641（営業）　☎03-3263-0644（編集）
https://www.akaneshobo.co.jp
印刷所　中央精版印刷 株式会社
製本所　株式会社 難波製本

ISBN978-4-251-06810-1
定価は裏表紙に表示してあります。
落丁本・乱丁本はおとりかえいたします。

NDC548
岡田 博元
ここがすごい！ ロボット図鑑
①しごとをたすけるロボットたち
あかね書房　2024年　47 p　30cm×21cm